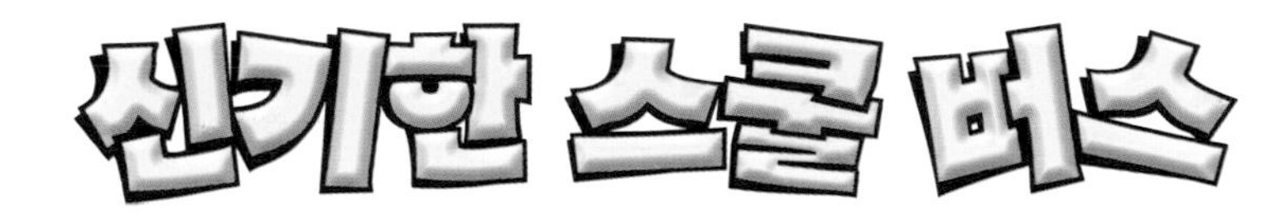

꿀벌이 되다

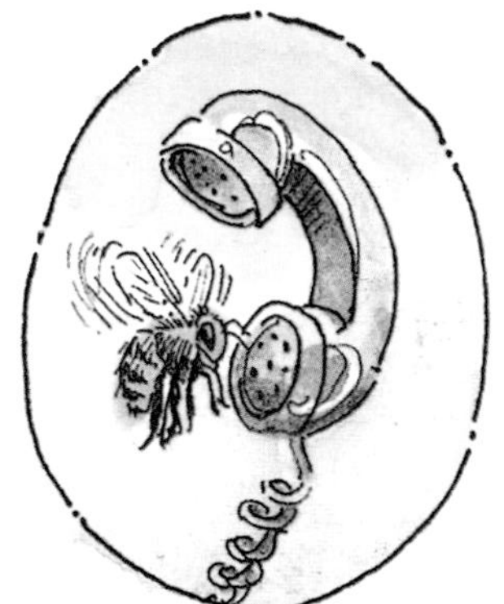

신기한 스쿨 버스

The Magic School Bus® – Inside a Beehive

꿀벌이 되다

조애너 콜 글 · 브루스 디건 그림 / 이강환 옮김

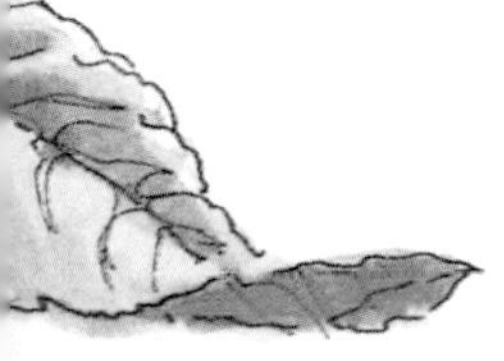

이 책을 준비하는 데 도움을 주신
캐나다 브리티시컬럼비아 주의 사이먼프레이저대학 생물학과 교수님이신
마크 윈스턴 박사님께 감사드립니다.

유익한 자문을 해 주신 코네티컷 주 뉴헤이번의 예일대 부속 피버디자연사박물관 곤충학부 레이 푸프디스 씨,
애리조나 주 투손의 칼하이던 벌연구소의 소장님이신 에릭 에릭슨 씨,
그리고 우리를 벌집으로 안내해 준 마크 리처드슨 씨께 감사드립니다.

신기한 스쿨 버스
꿀벌이 되다

1판 1쇄 펴냄—2000년 1월 4일, 1판 15쇄 펴냄—2004년 2월 2일
글쓴이 조애너 콜 그린이 브루스 디건 옮긴이 이강환 펴낸이 박상희
펴낸곳 (주)비룡소 출판등록 1994. 3. 17.(제16-849호)
주소 135-887 서울시 강남구 신사동 506 강남출판문화센터 4층
전화 영업(통신판매) 515-2000(내선 1) 팩스 515-2007 편집 3443-4318~9
홈페이지 www.bir.co.kr

값 7,500원

ISBN 89-491-3053-X 74400
ISBN 89-491-3045-9 (세트)

사랑하는 필에게

— 조애너 콜

윌 트레슬러 씨, 짐 제츠 씨,

그리고 꿀벌같이 바쁘게 일하는 모든 이에게

— 브루스 디건

프리즐 선생님께서 창 밖을 내다보시며 말씀하셨어요.
"야, 정말 화창한 봄날이야!"
우리도 그렇게 생각했죠. 발야구를 하기에 기가 막힌 날씨라고.
하지만 프리즐 선생님께서는 또 뭔가 다른 생각을 하고 계셨답니다.
선생님께서 말씀하셨어요.
"여러분, 꿀벌들을 관찰하기에 더없이 좋은 날씨죠?"

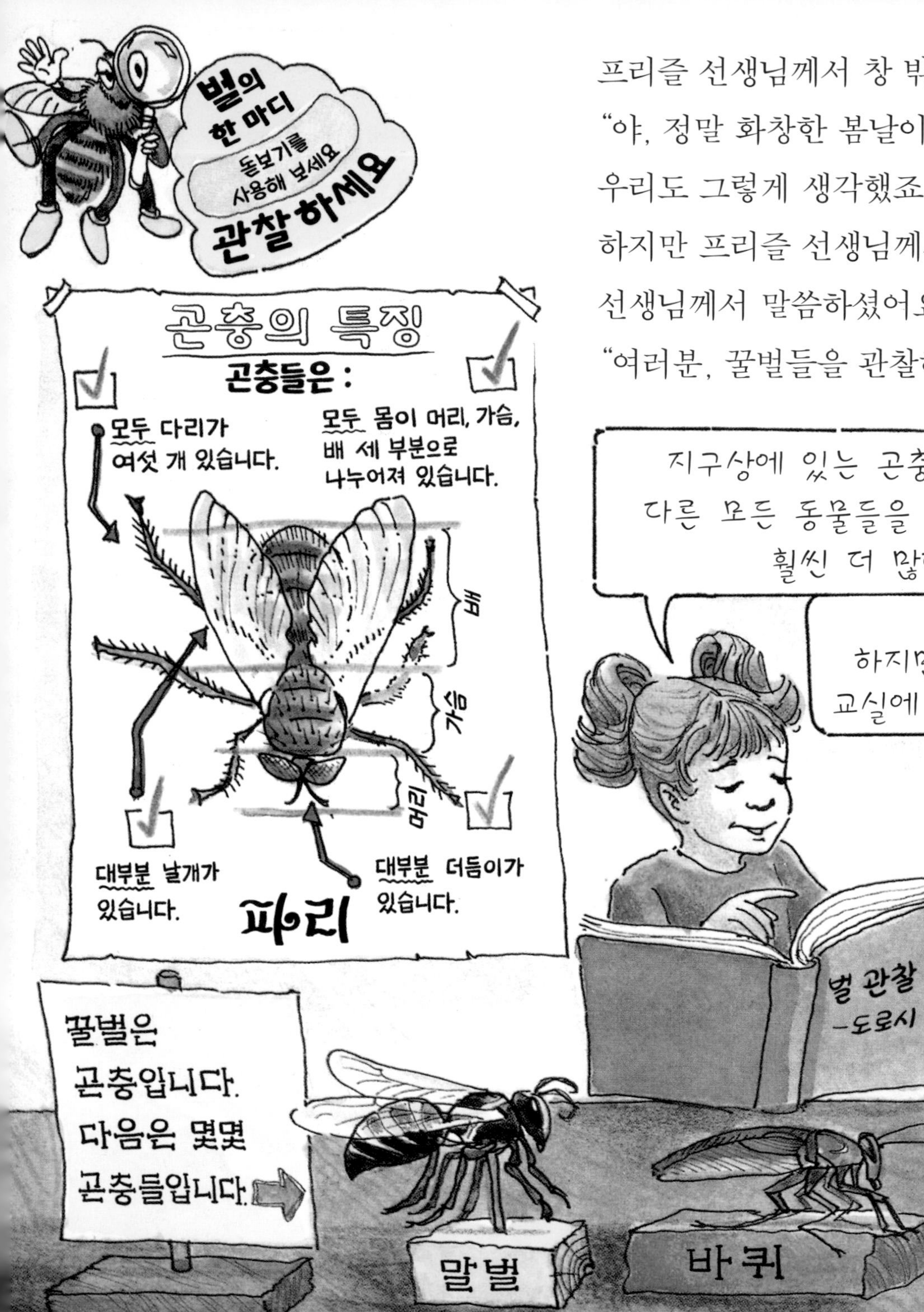

우리는 온갖 곤충에 대해서 공부를 하고 있었어요.
이쯤이면 프리즐 선생님께서 무슨 말씀을 하실지 눈치챘겠죠?
글쎄, 우리 반 아이들한테 꿀벌의 집을 보여 줄
꿀벌 치는 아저씨를 찾으셨다며 기뻐하시는 거예요.

프리즐 선생님께서 말씀하셨어요. "그 꿀벌 치는 아저씨가 바로 오늘 벌집을 보러 간대요. 우린 거기서 그분을 만나기로 했어요."
그러고 나서 선생님은 교실 문을 활짝 여셨답니다.

우리가 고물 스쿨 버스를 타고 가는 동안,
프리즐 선생님께서는 꿀벌에 대해서 계속 말씀하셨어요.
"여러분, 꿀벌은 우리한테 맛있는 꿀을 만들어 줘요.
또 식물들이 살아갈 수 있게 도와 주죠.
그리고 꿀벌은 대표적인 사회성 곤충이랍니다!"

아널드, 네가 가장 좋아하는 곤충은 뭐니?

전 꿀벌이 제일 좋아요.

우웩! 곤충은 내 취미가 아닌데……

사회성 곤충이란?

— 완다

사회성 곤충이란 공동체 속에서 함께 일하고 살아가는 곤충을 말합니다.
다음은 몇몇 사회성 곤충들입니다.

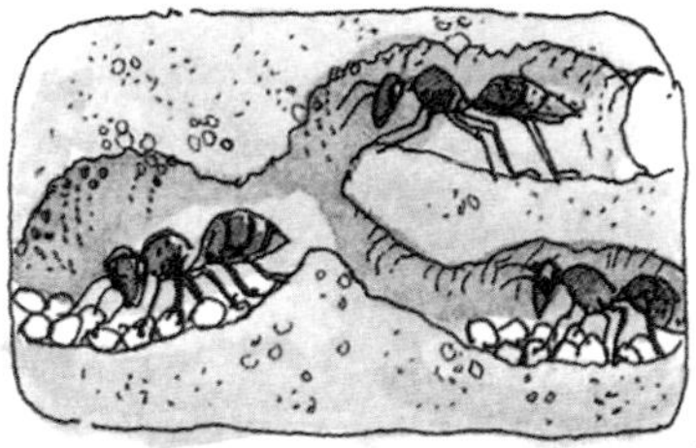

개미는 땅 속에 집을 짓습니다.

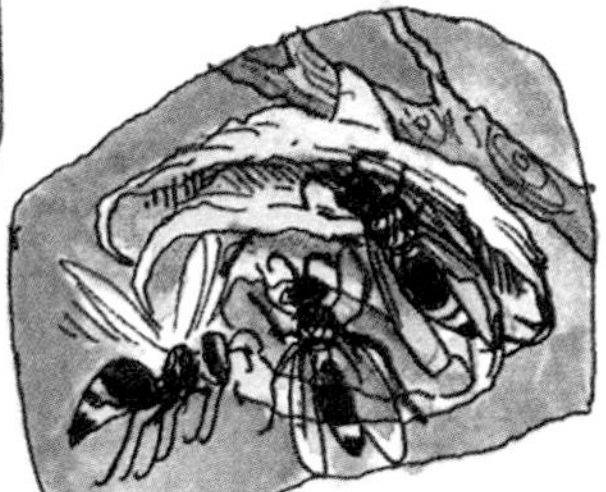

쌍살벌은 종이처럼 얇은 나무 껍질로 집을 짓습니다.

뒤영벌은 땅 속에 구멍을 판 후, 그 구멍 안쪽에 풀을 깔아서 집을 짓습니다.

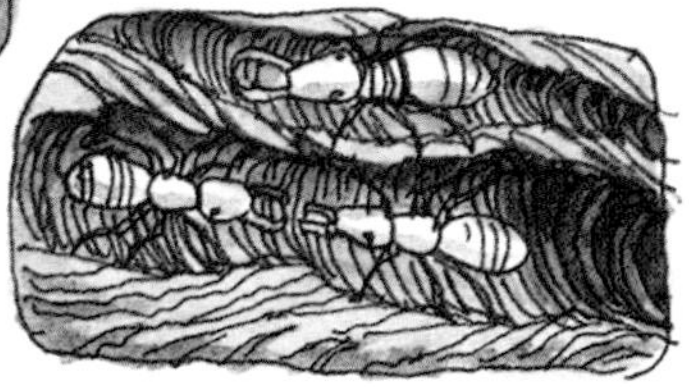

흰개미는 나무 속에 집을 짓습니다.

과학 낱말 공부

— 도로시 앤

"사회성"이란 말은 모여서 살거나 함께 일하는 것을 말합니다.

벌은 왜 침을 쏠까요?
—피비
벌은 자기 집을 지키기 위해서 침을 쏩니다.
벌은 꼭 필요할 때만 침을 쏩니다. 왜냐하면 침을 쏜 벌은 곧바로 죽기 때문입니다.
난 꼭 필요할 때만 침을 쏠 거야……
……음…… 예를 들어, 집을 지킬 때 말이지.
꿀벌의 침 끝은 가시나 갈고리처럼 생겼습니다.
침
가시
꿀벌이 침을 쏘면 낚싯바늘처럼 침이 피부에 걸립니다.
그러면 침은 벌의 몸에서 빠져 나가고 그 벌은 죽습니다.
시골 마을에 도착하자, 프리즐 선생님께서는 벌통들 옆에 주차하셨어요. 우리가 만나기로 한 꿀벌 치는 아저씨는 아직 도착하지 않았죠. 그래서 선생님께서는 소풍 바구니를 꺼내시며 말씀하셨습니다. "기다리는 동안 뭘 좀 먹을까요?" 야호, 때로는 우리 담임 선생님도 멋진 생각을 할 때가 있다니까요!
벌의 한 마디
침을 쏘는 곤충 가까이에서는 특히 조심하세요
벌들은 여러분이 만지거나, 귀찮게 하거나, 벌통에 너무 가까이 가지만 않으면 잘 쏘지 않아요.
선생님, 아무리 그래도 창문을 닫는 게 좋겠어요.
꿀

그런데, 선생님께서 꿀병을 열면서
팔꿈치로 이상하게 생긴 작은
손잡이를 툭 쳤습니다.
꿀병은 미끄러져 바닥에 떨어졌죠.
그 때 우리는 윙윙거리는 이상한
소리를 들었어요.

벌통의 변천사
-팀
야생 벌들은 항상 속이 빈 나무나 통나무에 집을 지었습니다. 사람들은 짚단, 도자기 혹은 목재로 벌통을 만들어 줍니다.
짚단
목재
도자기
나무
버스는 어느 새 작은 벌통으로 변해 있었어요. 우리도 진짜 벌이 되었고요. 믿기 어렵겠지만, 우린 정말 벌로 변신했다니까요! 프리즐 선생님께서 윙윙거리며 말씀하셨어요.
“여러분, 모두 밖으로 나가세요.”
벌이 되세요!
으악, 벌이 된다고요?
더듬이로 자꾸 찌르지 마!
야, 내 날개나 밟지 마!
보통 견학과는 완전히 다르네!
한편
어휴!
보브표 달콤한 꿀
서쪽에서는 보브 아저씨가……

우리는 한 사람씩 차례차례 밖으로 나왔습니다.
그리고 가장 가까이에 있는 벌통을 올려다보았죠.
입구에는 일벌들이 보초를 서고 있었어요.
프리즐 선생님께서 말씀하셨습니다. "보초벌들은 주로 다른 벌통에서 오는 벌들을 막아 줘요."

프리즐 선생님께서 계속 말씀하셨어요. "보초벌이 낯선 벌을 들어오게 할 때가 있어요. 그건 길을 잃어버린 벌이 왔을 때뿐이죠. 물론 그 벌이 먹이를 아주 많이 가지고 와야 한답니다. 그리고 모든 벌들은 먹이를 꽃에서 가져 와야 하죠."

갑자기 프리즐 선생님께서 소리치셨어요. "여러분, 벌통으로 들어가는 자격을 얻기 위해서는 벌의 먹이를 구해야만 해요. 그럼 꽃을 찾아야겠죠. 자, 모두 저 벌을 따라가세요!"
우리는 선생님 말씀대로 예쁜 꽃들 쪽으로 날아가는 벌 뒤를 졸졸 따라갔답니다.

프리즐 선생님께서 벌이 하는 행동을 잘 관찰해서 고대로 따라 하라고 말씀하셨어요. 벌은 빨대처럼 생긴 긴 혀를 꽃 속으로 집어넣더니 꽃꿀을 빨아들이기 시작했죠. 우리도 각자 고무 빨대를 사용해서 벌이 하는 대로 똑같이 따라했습니다.

프리즐 선생님께서 말씀하셨어요.

"벌은 꿀배라고 하는 작은 주머니로 꽃꿀을 운반해요. 우리는 꿀배가 없으니, 꽃꿀을 작은 병에 담아 운반하도록 해요."

꽃에서 떨어진 꽃가루들이 벌의 “털”에 달라붙었습니다.
벌은 앞다리와 가운뎃다리로 꽃가루를 쓸어 모아
뒷다리에 달린 작은 꽃가루주머니에 담았죠.
그러고 나서 벌통으로 돌아갔어요.
우리도 꽃가루를 모아서 벌을 따라갔답니다.

우리는 한 사람씩 벌통 앞에 내렸어요.
프리즐 선생님께서 우리한테 페로몬을 뿌려 주셨죠. 페로몬은 벌들이 만들어 내는 화학 물질이에요. 이제 우리 몸에서도 벌 냄새가 난답니다. 우린 완벽한 변신을 했어요.
드디어 긴장되는 순간이 왔습니다.

벌은 냄새로 "이야기"합니다!

-아만다 제인

페로몬은 동물들이 냄새로 서로 "이야기"할 수 있게 해 주는 화학 물질입니다.

벌들은 페로몬으로 서로 이야기를 나눕니다.
이런 이야기를 한다는군요.
"난 이 집 식구야."
"난 다른 데서 온 벌이야."
"난 일벌이야."
"에헴, 난 여왕벌이다."
"위험해! 위험해!"
"벌통을 지켜라!"

벌은 말은 할 수 없지만, 서로 의사 소통은 할 수 있습니다.

우리는 보초벌이 더듬이로 우리 몸을 쓰다듬으며 냄새를 맡는 동안 숨을 죽였어요. 벌이 우리한테 속아 넘어간다면 우리는 벌통 안으로 들어갈 수 있죠. 하지만 들킨다면……
으악, 너무 끔찍해서 생각하기도 싫어요.

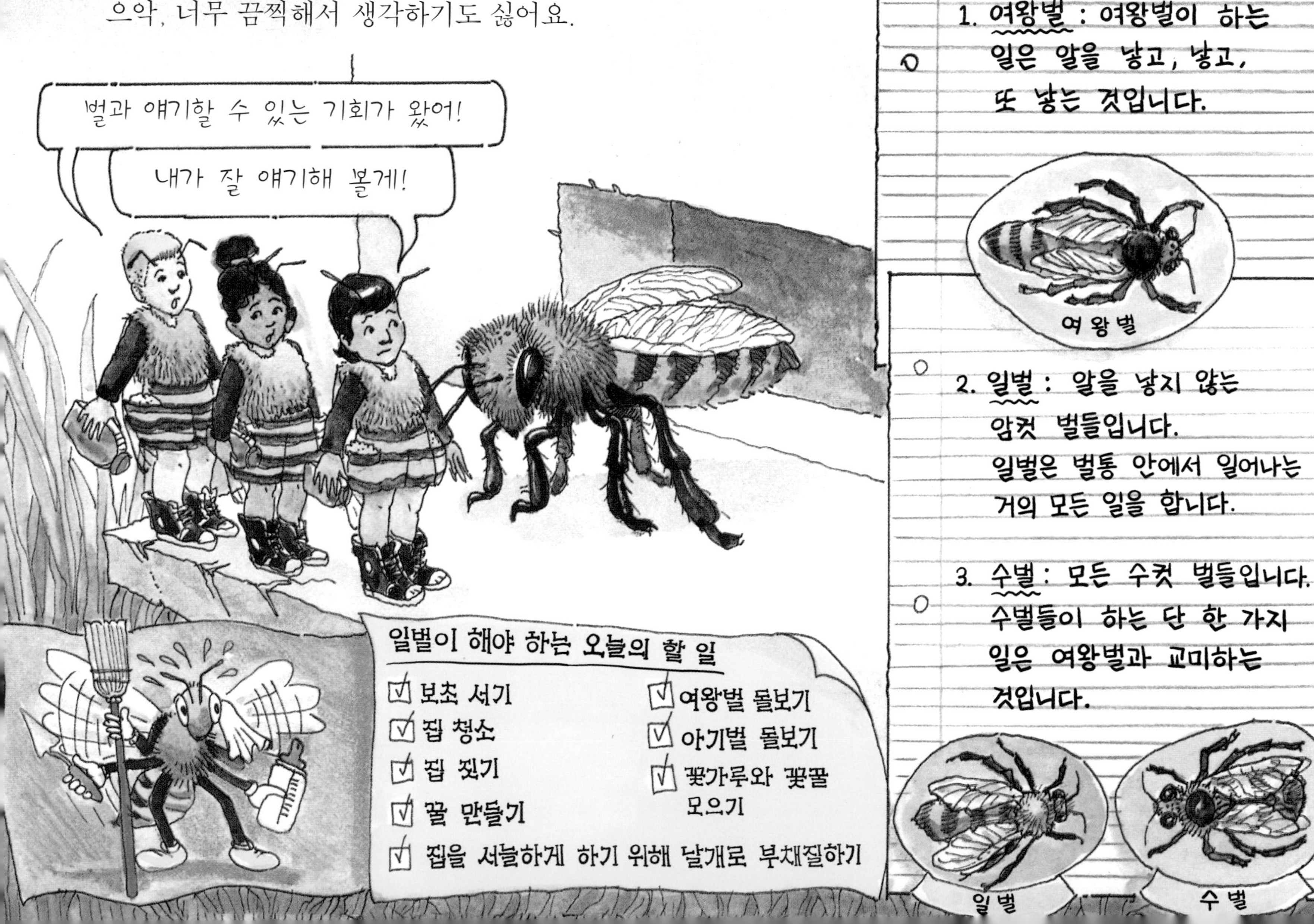

벌통 안에는 누가 살까요?

– 마이클

꿀벌 군락에 사는 벌들은 세 가지 계급으로 나뉩니다.

1. 여왕벌 : 여왕벌이 하는 일은 알을 낳고, 낳고, 또 낳는 것입니다.

2. 일벌 : 알을 낳지 않는 암컷 벌들입니다. 일벌은 벌통 안에서 일어나는 거의 모든 일을 합니다.

3. 수벌 : 모든 수컷 벌들입니다. 수벌들이 하는 단 한 가지 일은 여왕벌과 교미하는 것입니다.

보초벌들은 우리가 뿌린 벌 냄새와 우리가 가져온 먹이 냄새를 맡았답니다. 야호, 무사 통과! 다른 일벌들은 우리가 가져온 꽃꿀을 부지런히 날랐어요. 프리즐 선생님께서 외치셨어요.
"만세! 이제 벌집을 마음놓고 돌아다닐 수 있어요!"

꿀벌통 구조

-몰리

- 뚜껑
- 안쪽 덮개
- 사람들이 꿀을 거두어들이는 곳 (일벌들이 통과해서 꿀을 많이 모아 둔다. 여왕벌이 못 들어오므로 알과 애벌레가 없어 많은 꿀을 모을 수 있다.)
- 여왕벌을 못 들어오게 하는 막
- 벌집을 싸고 있는 틀
- 방(아기벌, 꿀, 꽃가루를 보관하는 곳)
- 벌통 상자
- 입구
- 벌들이 날다가 내리는 곳
- 우리가 지금 와 있는 곳

한편

보브표 달콤한 꿀

서쪽에서는 보브 아저씨가……

우리가 어렵게 들어온 벌통 안에서 가장 먼저 본 장면이 뭔지 아세요? 글쎄, 우리가 쫓아온 벌이 이상한 춤을 추고 있는 거예요. 그러자 그 벌 주위에 다른 벌들이 몰려와서는 그 벌을 만지면서 소리를 듣고 있었어요.
그 때 프리즐 선생님께서 설명해 주셨습니다.
"벌들의 '언어'는 바로 춤이에요. 벌들은 다른 벌들한테 꽃이 있는 장소를 춤으로 이야기한답니다."

원을 그리며 빙글빙글 도는 춤
-필
이 춤은 먹이가 벌통에서 가까운 곳에 있다는 것을 뜻합니다. 춤을 추는 벌은 원을 그리면서 돌다가 돌아서서 반대 방향으로 돕니다.
그러면 다른 벌들은 밖으로 나가서 꽃을 찾을 때까지 원을 그리면서 날아갑니다.
벌통
벌들은 춤을 춰서 먹이가 있는 장소를 더 빨리 찾아낼 수 있습니다. 왜냐하면 그 장소를 찾는 시간을 절약할 수 있기 때문이죠. 춤을 지켜 본 벌들은 모두 우리가 지금 막 갔다 온 꽃밭 쪽으로 날아갔어요.
벌들이 추는 춤은 아주 다양해.
춤마다 각각 다른 뜻이 있지.
벌 관찰 일기
-도로시 앤

다른 벌들도 새 소식을 듣기 위해서 우리가 쫓아온 벌 주위로 또 모여들었답니다.
우리는 춤을 추고 있는 벌을 지나서 벌통 안쪽으로 더 깊숙이 들어갔습니다.
아널드, 벌이 춤으로 어떻게 의사 소통을 하는지 궁금하지 않니?
아뇨, 난 밖으로 나가는 길을 알고 싶을 뿐인데……
엉덩이를 흔드는 춤
-카멘
이 춤은 먹이가 벌통에서 멀리 떨어진 곳에 있다는 것을 뜻합니다.
또 어느 쪽으로 가야 할지도 가르쳐 줍니다.
춤을 추는 벌은 8자를 그리면서 중간에서 엉덩이를 흔듭니다.
①춤을 추는 벌이 똑바로 엉덩이를 흔들면, 춤을 본 벌들은 태양 쪽으로 똑바로 날아갑니다.
②춤을 추는 벌이 왼쪽으로 엉덩이를 흔들면, 춤을 본 벌들은 태양의 왼쪽으로 날아갑니다.
③춤을 추는 벌이 오른쪽으로 엉덩이를 흔들면, 춤을 본 벌들은 태양의 오른쪽으로 날아갑니다.

밀랍은 어디에서 만들어질까요?

—그레고리

벌들은 몸 속에 있는 밀랍 샘에서 밀랍을 만듭니다.
그리고 배에 나 있는 틈을 통해서 밀랍을 내보냅니다.

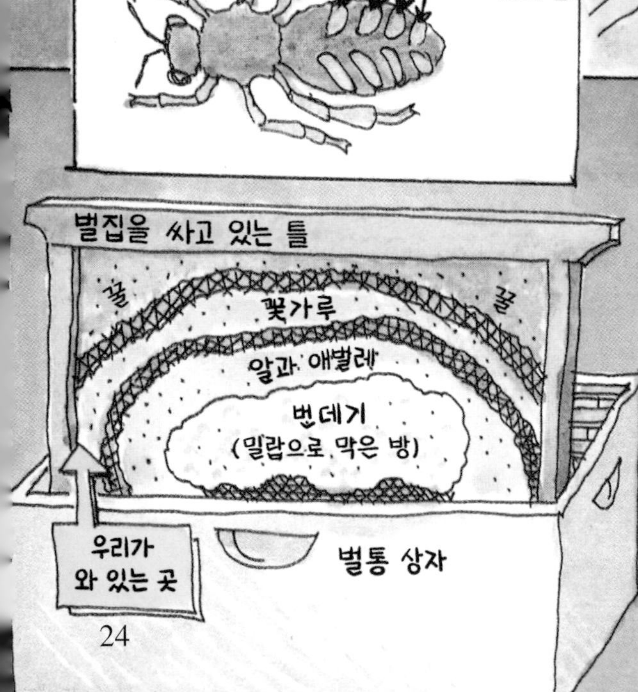

벌통 안쪽은 밀랍으로 덮여 있었어요. 벌들은 밀랍을 이용해서 벌집을 만들고 있었죠. 벌집에는 육각형으로 된 방이 수천 개나 되었답니다. 집은 너무나 완벽했어요. 정말 벌들이 만든 집이라고 믿기지 않을 정도였다니까요. 프리즐 선생님께서 말씀하셨어요.
"여러분, 벌집을 만드세요!"

여러분, 벌들은 대부분 벌집에서 일생을 보내요.

벌집 위에서 춤을 추기도 해요.

또 벌집 위에서 걸어다니기도 하고 쉬기도 해요.

벌의 한 마디
육각형을 만드세요
도와 주세요

우리는 최선을 다해 육각형 방을 만들었습니다. 하지만, 결과는? 엉망이었죠. 그런데 다행히도, 벌들은 우리가 벌이 아니란 걸 알아채지 못했어요. 벌들은 그저 우리가 망친 육각형 방들을 부수고는 자기들이 다시 만들었죠. 다른 벌들은 꿀을 만들거나, 여러 가지 일로 몹시 바빴어요.

벌들은 어떻게 벌집을 만들까요?

-레이첼

벌들은 뒷다리와 가운뎃다리를 이용해서 밀랍을 앞다리로 보냅니다.
그런 다음 입으로 밀랍을 씹어 방을 만듭니다.

꿀벌들은 방의 끝부분을 위쪽으로 꺾어 올려서, 꿀이 흘러내리지 않게 합니다.

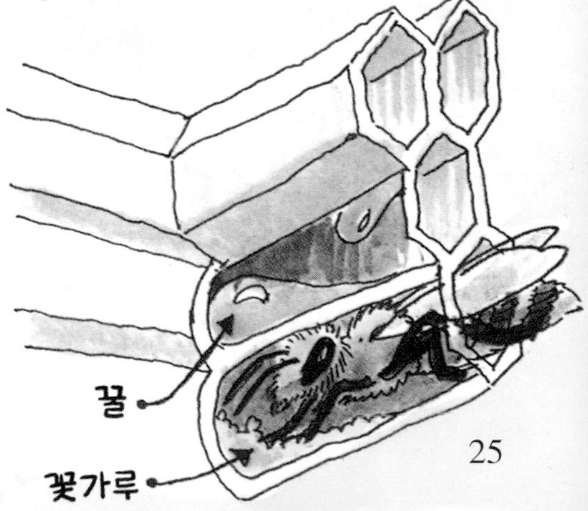

한편

보브표
달콤한 꿀

서쪽에서는 보브 아저씨가……

우리는 벌들이 꽃꿀을 꿀로 바꾸는 과정을 지켜 보았습니다.
먼저, 벌들은 머릿속에 있는 샘에서 나오는 화학 물질을 꽃꿀에 섞습니다. 그러면 그 화학 물질이 꽃꿀의 당분을 꿀의 당분으로 바꿉니다. 그러고 나서 물을 뿌리고 날개로 부채질을 하면 끝!
걸쭉하고, 끈적끈적하고 달콤한 꿀이 될 정도의 물만 남기고 부채질을 해서 모두 말립니다.
우리도 같이 부채질을 해서 벌이 꿀을 만드는 것을 도와 주었어요.

프리즐 선생님께서 꿀을 먹어도 좋다고 하셨습니다.
물론 벌이 충분히 먹을 만큼은 남기고요.
선생님께서 설명해 주셨어요.
"벌들이 겨울을 나기 위해서는 꿀이 많이 필요하답니다."

꿀을 먹고 얼마 되지 않아, 우리는 일벌들의 무리가 가까이에 있는 것을 보았습니다.
그들은 가늘고 긴 몸을 가진 큰 벌 한 마리를 돌보고 있었죠.
그 벌은 바로 여왕벌이었어요!
여왕벌은 방을 하나씩 옮겨다니며,
방마다 작고 흰 알을 하나씩 낳았답니다.

일벌들은 여왕벌을 더듬이로 쓰다듬고 혀로 핥아 주었어요.
그리고 먹을 것을 입에서 입으로 건네 주었죠.

아기벌들은 무엇을 먹을까요?
-아만다 제인
유모벌들은 자신들의 머릿속에 있는 샘에서 아기벌들한테 먹일 먹이를 직접 만듭니다.
이 먹이를 "새끼 먹이"라고 합니다.
유모벌들은 애벌레 방에 새끼 먹이를 직접 넣어 줍니다.
몇몇 방에서, 우리는 벌레처럼 생긴 것들을 보았습니다.
프리즐 선생님께서 말씀하셨어요.
"이것들은 애벌레예요. 알에서 방금 나온 아기벌이죠."
유모벌들은 아기벌들한테 열심히 먹이를 주고 있었습니다.
이 벌레처럼 생긴 것들이 아기벌이에요?
전혀 벌처럼 생기지 않았어요.
키샤, 이들은 곧 벌이 될 거야. 벌이 되려면 따뜻한 곳에서 먹이를 먹으면서 시간을 보내야만 한단다.
애벌레들은 먹이 안에서 헤엄칠 정도로 먹이가 아주 많을 때도 있어.
듣기만 해도 군침 도는걸.
R
조금 자란 애벌레들은 꿀이나 꽃가루와 꿀을 섞어서 만든 "벌 빵"을 먹습니다.

애벌레는 먹는 일과 자라는 일만 하면 됩니다.
그렇게 먹다가 자라서 몸이 껍질보다 더 커지면,
새 껍질을 만들거나 껍질을 벗어 버려요.
그러고 나서 애벌레는 다시 먹고 자라기 시작한답니다.
벌처럼 애벌레들에게 먹이를 주세요!
와, 애벌레들은 너무 좋겠다.
온갖 시중을 다 들어주니.
여왕벌이 되려면……
-필
벌통이 너무 붐비면, 일벌들은 새 벌통을 만들 준비를 합니다. 먼저, 새로운 여왕을 위해서 일벌들은 거꾸로 된 특별한 방들을 만듭니다.
여왕 애벌레
유모벌들은 여왕벌이 될 암컷 애벌레한테 "로열 젤리"라는 특별한 음식을 먹입니다. 이 "로열 젤리"를 먹어야만, 그 애벌레가 여왕벌로 자랍니다.
암컷 애벌레가 로열 젤리를 먹으면 여왕벌이 됩니다.
로열 젤리를 못 먹으면 일벌이 됩니다.
로열 젤리

프리즐 선생님께서 말씀하셨어요.
"애벌레가 충분히 자라면 더 이상 먹지 않아요. 그 때 애벌레는 누에고치로 자기 몸을 감싸죠. 이게 바로 번데기예요."
유모벌들은 방 입구를 밀랍으로 막았습니다.
그 방 안에서 번데기는 더 이상 먹거나 자라지 않아요.
이제는 완전한 벌이 될 거예요. 이 과정이 변태랍니다.

프리즐 선생님께서 계속 설명하셨어요.
"번데기가 변해 벌이 되면, 방 입구를 직접 입으로 뚫고 밖으로 나와요."
우리는 새 일벌들이 밖으로 빠져 나오는 것을 보았습니다.
그 일벌들은 바깥 공기에 몸을 말리고는 당장 일을 하기 시작했죠.
그 때 뭔가 요란한 윙윙거리는 소리가 들렸어요.
무슨 일이 일어난 걸까요?

벌의 한 마디
어서 자라세요
어른이 되세요

그 소리는 벌들이 날개짓 하는 소리였어요.
여왕벌이 벌통에서 나와 일벌들 절반을 데리고
떠나고 있었죠! 무지무지 큰 벌 떼였어요.
이제 이 벌통은 어떻게 될까요?

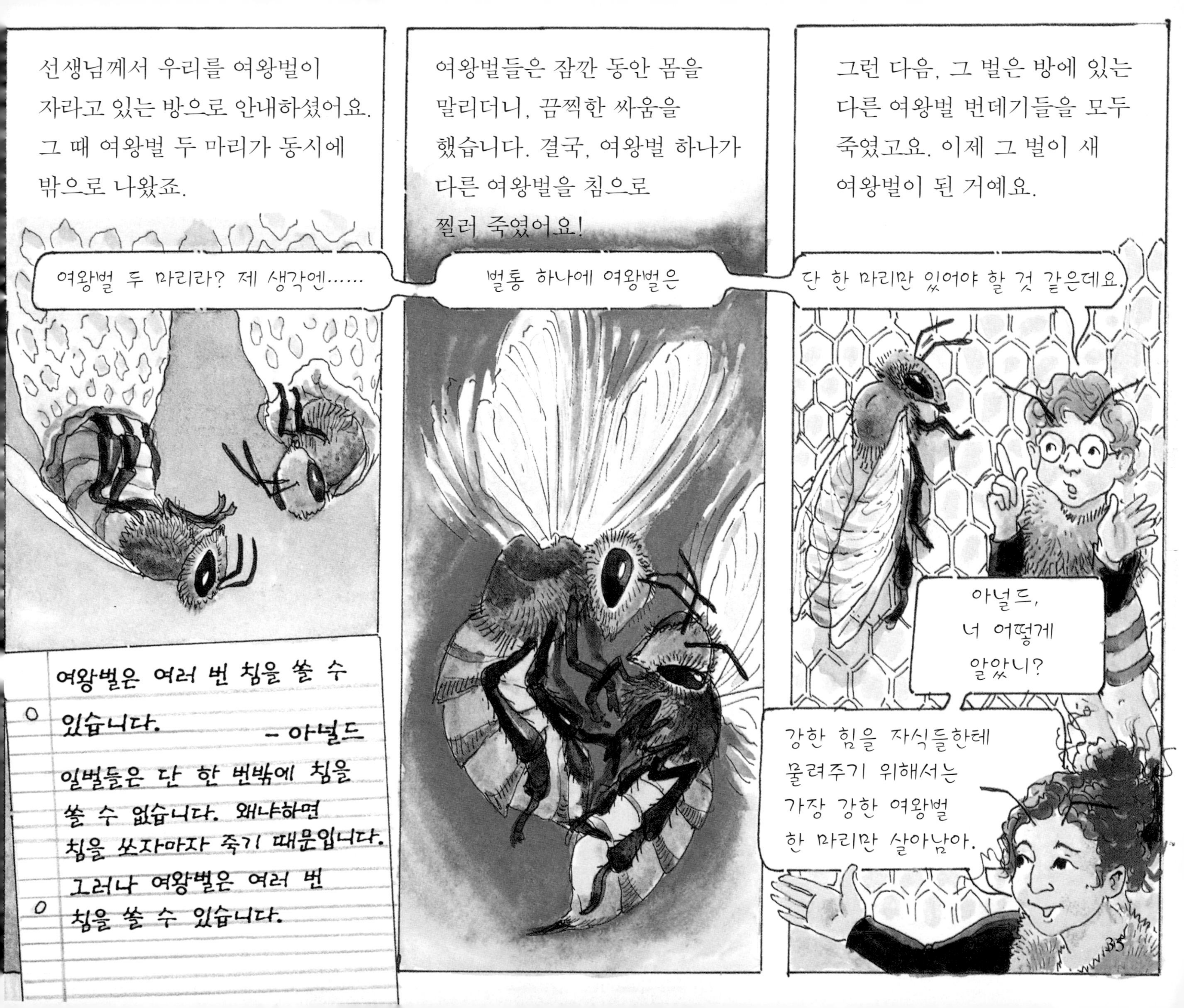
선생님께서 우리를 여왕벌이 자라고 있는 방으로 안내하셨어요. 그 때 여왕벌 두 마리가 동시에 밖으로 나왔죠.
여왕벌 두 마리라? 제 생각엔……
여왕벌은 여러 번 침을 쏠 수 있습니다. - 아널드
일벌들은 단 한 번밖에 침을 쏠 수 없습니다. 왜냐하면 침을 쏘자마자 죽기 때문입니다. 그러나 여왕벌은 여러 번 침을 쏠 수 있습니다.
여왕벌들은 잠깐 동안 몸을 말리더니, 끔찍한 싸움을 했습니다. 결국, 여왕벌 하나가 다른 여왕벌을 침으로 찔러 죽였어요!
벌통 하나에 여왕벌은
그런 다음, 그 벌은 방에 있는 다른 여왕벌 번데기들을 모두 죽였고요. 이제 그 벌이 새 여왕벌이 된 거예요.
단 한 마리만 있어야 할 것 같은데요.
아널드, 너 어떻게 알았니?
강한 힘을 자식들한테 물려주기 위해서는 가장 강한 여왕벌 한 마리만 살아남아.

여왕벌의 결혼
-완다
많은 벌 군락에서 온 수벌들 수천 마리가 한 장소에 모입니다.
여왕벌이 짝짓기할 준비가 되면 모든 벌들이 함께 날아오릅니다.
수벌들은 대부분 자기 벌 군락의 여왕벌과 짝짓기를 하지 않습니다.
일벌들이 새 여왕벌을 벌통 밖으로 밀어 냈습니다. 프리즐 선생님께서 이제 여왕벌이 수벌들과 짝짓기를 하기 위한 짝짓기 비행을 할 거라고 말씀해 주셨어요.
새 여왕벌은 일생에 단 한 번 하는 짝짓기 비행이 끝나면 벌통으로 되돌아와서 알을 낳아요.
그 알들이 부화하면 아까 여왕벌과 함께 떠난 일벌들을 대신할 수 있죠.
그러면 벌통은 이전처럼 잘 돌아갈 거예요.
그럴 수도 있고 안 그럴 수도 있지.
새 여왕벌
수벌들
과학 낱말 공부 또 하나 더
-도로시 앤
"짝짓기"는 여왕벌과 수벌의 결혼을 뜻합니다.

새 여왕벌이 떠난 후에 갑자기 큰 소리가,
쿵……쿵……쿵……쿵……, 모두들 깜짝 놀랐죠.
그 소리는 바로 곰 발자국 소리였어요! 곰이 벌통에 다가오더니,
꿀과 벌의 애벌레를 훔치려고 했죠. 일벌들은 일제히 날아올라
침을 쏘기 시작했답니다. 그런데, 이게 웬일이에요?
털이 너무 두꺼워서 침이 들어가지 않는 거예요!

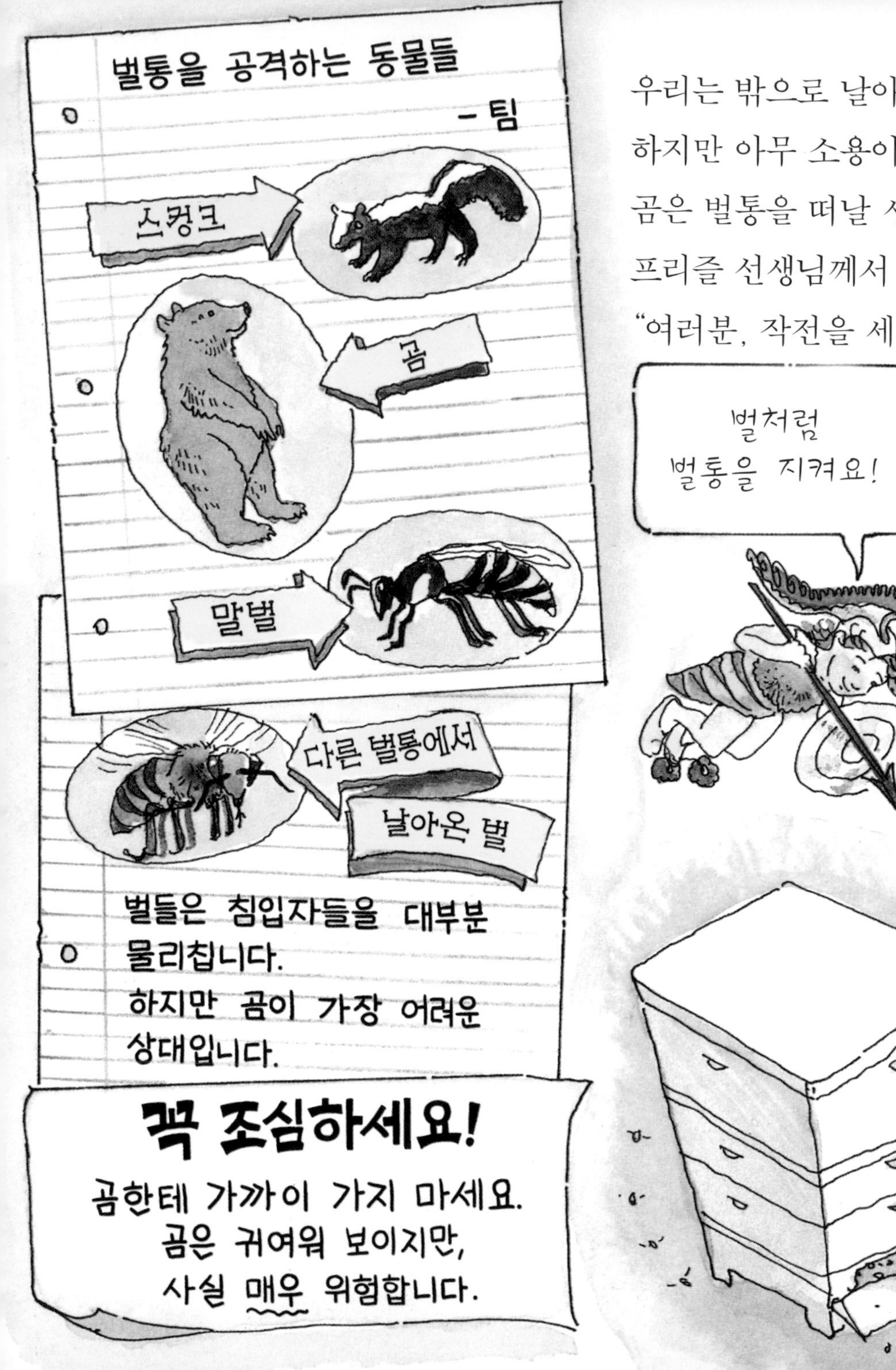

우리는 밖으로 날아올라 곰한테 돌진!
하지만 아무 소용이 없었죠.
곰은 벌통을 떠날 생각이 전혀 없었답니다.
프리즐 선생님께서 외치셨어요.
"여러분, 작전을 세워야겠어요. 우리가 곰을 유인해 봅시다!"

프리즐 선생님께선 곧바로 벌통 버스로 날아가셨습니다. 물론 우리도 선생님 뒤를 좇아갔죠. 버스에는 아까 쏟아졌던 꿀병이 그대로 바닥에 딩굴고 있었어요. 그런데 곰이 꿀 냄새를 놓칠 리가 있나요?
곰은 우리 버스로 점점 다가오고 있었습니다.
우리 모두는 소리쳤어요. "프리즐 선생님! 도망가요. 빨리요!"
선생님께서 시동을 거시사, 버스는 뒤뚱거리면서 앞으로 나아갔습니다.
여러분, 곰이 벌통을 버리고 우리를 쫓아오고 있어요. 작전이 성공했어요.
아, 우리가 벌이 되기 전에 선생님께서 꿀병을 쏟았었지......
그래, 우리가 곰의 미끼가 되기 전이야.
아, 그 때가 좋았어.
으악, 곰 싫어!

버스가 모퉁이를 돌 때, 꿀병이 버스 문 밖으로 굴러 떨어졌습니다.
그런데 어째 이런 일이?
꿀병이 통통 튈 때마다 점점 커지더니, 본디 크기만큼 커졌어요.
곰은 꿀을 먹는 데 정신이 팔렸죠.
그래서 우리를 까맣게 잊어버렸답니다.

프리즐 선생님께서 계기반에 있는 막대기를 잡아당기셨어요.
그러자 다행히도 버스가 위로 날아올랐죠.
버스는 이제 벌통 버스가 아니라 벌 버스로 변해 있었어요!
버스 아래로 내려다보니 새 여왕벌이 짝짓기 비행을 마치고 집으로
돌아가고 있었습니다.

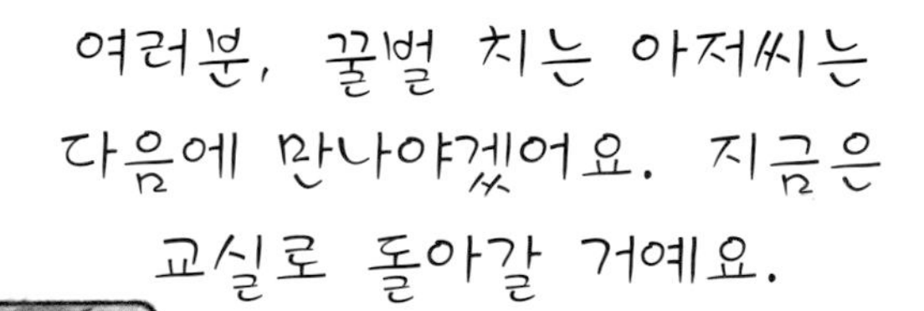

우리도 비행을 마치고 학교로 돌아왔어요.
다리가 여섯 개인 벌 버스가 학교 주차장에 닿자 다시 변하기 시작했죠.

자, 이제 모든 것이 원래대로 돌아왔습니다.

벌로 변한 버스는 다시 고물 스쿨 버스로, 우리도 다시 사람으로.

수수께끼
문제 : 거꾸로 매달린 집에 수도 없이 문이 달려 있는 것은?
답 :
문제 : 벌들은 왜 노래할 때 콧노래를 흥얼거릴까요?
답 :
문제 : 꿀 먹은 벙어리는?
답 :
문제 : 벌에 대한 시험에서 학생들은 우수상을 받을까요?
시험
빵점
답 :
우리는 다시 교실로 돌아왔습니다.
그리고 오늘 수업을 멋지게 끝낼 수 있는 일을
생각해냈죠. 그 일이 뭐냐고요?
그건 바로 꿀 빵을 만드는 거예요!
얘들아, 모두 안녕!
벌이었을 때가 그리워.
그래, 난 더듬이가 없으니까 영 어색해.
난 까만 줄무늬가 좋았어.
그래도 뭐니뭐니해도 꿀이 가장 좋았지. 그리고 꿀은 지금 당장 먹을 수 있잖아.
신기한 스쿨 버스 오븐
프리즐 선생님과 학생들에게
보브표 달콤한 꿀
보브표 꿀
둘이 먹다가 하나가 죽어도 모름
보브표 꿀
둘이 먹다가 하나가 죽어도 모름

벌에 대해 좀더 알고 싶어요!
벌이
추는 춤
-설리
양봉(벌 키우기)
- 키샤
벌이 가장
좋아하는 꽃
-알렉스
사람들은 밀랍을
어디에 쓸까 -팀
초
물감
구두약
밴더그래프
발전기
프리즐 선생님
좀 봐!
와, 정말 쇼킹해!

우리 생활에서 이런 일은 일어나지 않아요!
스쿨 버스가 벌통이나 벌만큼 작아질 수 없어요.
학생들도 벌이 될 수 없죠.
또 날 수도 없고, 꽃가루를 모을 수도 없어요.
게다가 벌통으로 들어가서 꿀을 먹을 수도 없답니다.
벌이 될 수 없다고?
그럼 학교에 가도 재미 없겠네.
어, 그럼 난 학교 안 갈래.

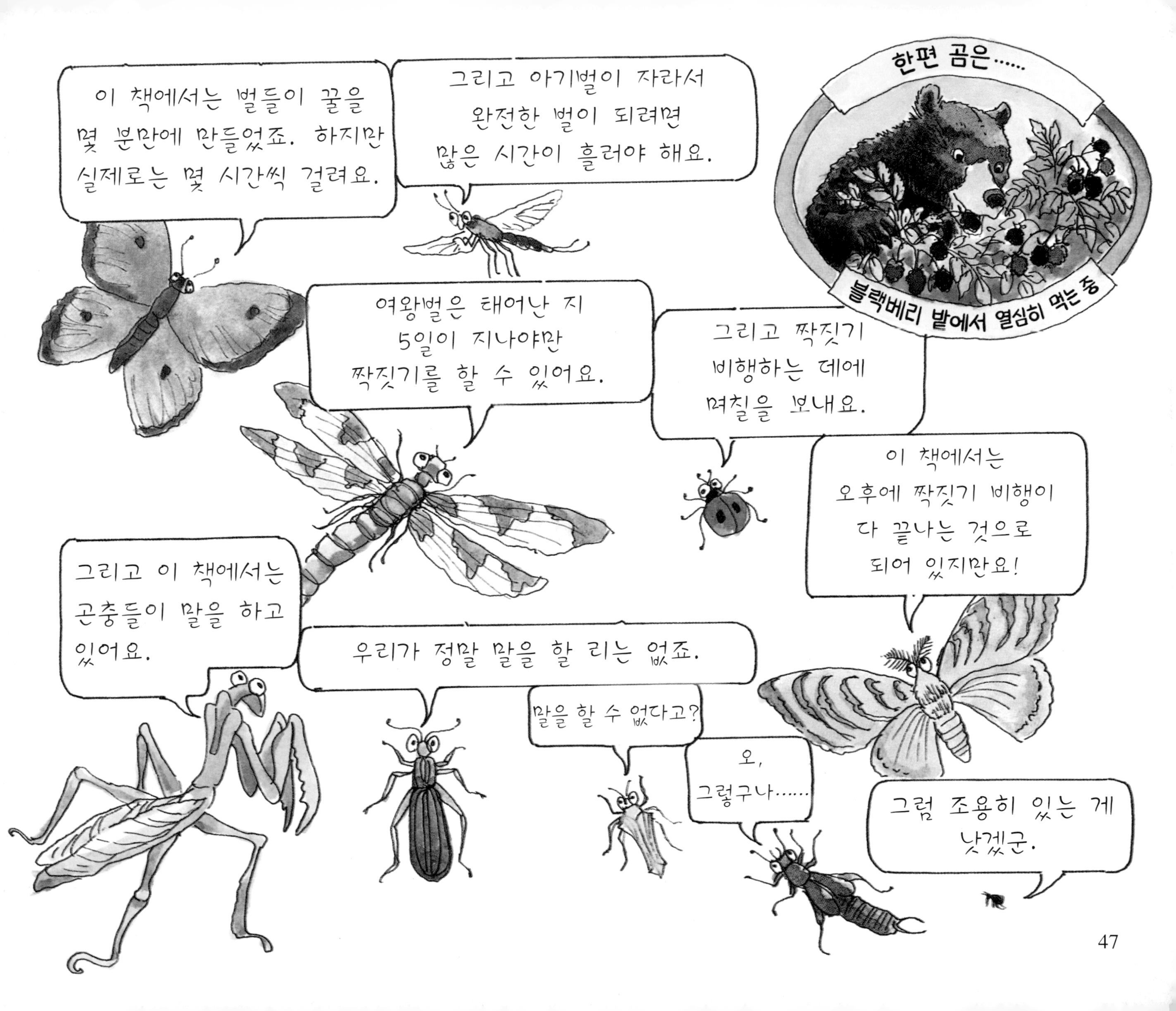
이 책에서는 벌들이 꿀을 몇 분만에 만들었죠. 하지만 실제로는 몇 시간씩 걸려요.
그리고 아기벌이 자라서 완전한 벌이 되려면 많은 시간이 흘러야 해요.
한편 곰은……
블랙베리 밭에서 열심히 먹는 중
여왕벌은 태어난 지 5일이 지나야만 짝짓기를 할 수 있어요.
그리고 짝짓기 비행하는 데에 며칠을 보내요.
이 책에서는 오후에 짝짓기 비행이 다 끝나는 것으로 되어 있지만요!
그리고 이 책에서는 곤충들이 말을 하고 있어요.
우리가 정말 말을 할 리는 없죠.
말을 할 수 없다고?
오, 그렇구나……
그럼 조용히 있는 게 낫겠군.

세상에서 가장
달콤한
보브표 꿀

조애너 콜과 브루스 디건은
「신기한 스쿨 버스」 한 권을 낼 때마다
많은 독시와 연구, 전문가와 상담한다.
이 책을 쓰기 위해서도 꿀벌 연구가를 만나고
꿀벌 치는 곳을 직접 찾아갔었다고 한다.
조애너 콜은 1991년 워싱턴 포스트지의 어린이 도서 협회에서 주는 논픽션 상과
어린이 책에 기여한 공로로 데이비드 맥코드 문학상을 받았다.
전직 초등학교 교사이자 아동 도서 편집장이었던 콜은 지금 코네티컷 주에서
남편과 딸과 함께 살며 저술과 가사로 시간을 보내고 있다.
브루스 디건은 쿠퍼 협회와 프라트 대학에서 공부했다. 전직 교사인 디건은
30권 이상의 어린이 책에 그림을 그렸고, 지금은 조애너 콜이 사는 곳과 멀지 않은 곳에서
아내와 아들과 함께 살며 일러스트레이션에 시간을 보내고 있다.

옮긴이 **이강환**은 서울대학교 천문학과를 졸업하고, 동대학원 박사 과정 중이다.

신기한 스쿨 버스

1 물방울이 되어 정수장에 갇히다
2 땅 밑 세계로 들어가다
3 아널드, 버스를 삼키다
4 태양계에서 길을 잃다
5 바닷속으로 들어가다
6 공룡 시대로 가다
7 허리케인에 휘말리다
8 꿀벌이 되다
9 전깃줄 속으로 들어가다
10 눈, 귀, 코, 혀, 피부 속을 탐험하다